KB096331

걷다가 느낀 감정

서장현의 두 번째 시집

걷다가 느낀 감정

지은이 서장현

발 행 2024년 5월 21일
펴낸이 한건희
펴낸곳 주식회사 부크크
출판사등록 2014.07.15.(제2014-16호)
주 소 서울특별시 금천구 가산디지털1로 119 SK트윈타워 A동 305호
전 화 1670-8316
이메일 info@bookk.co.kr

ISBN 979-11-410-8570-4

www.bookk.co.kr

걷다가 느낀 감정

서장현의 두 번째 시집

이 시집을 읽는 당신에게,

2024년, 월, 일,

서장현 드림.

조금은 부끄럽지만,

나름 시라는것을 쓴지 2년이 넘어간다. 시를 써가며 나의 마음을 표현하는 것이 익숙해진다. 물론 나는 아직도 나의 마음이 어떤지, 그리고 이 마음을 어떻게 표현하고 전달하는지에 대한 고민을 하고있다. 기쁜 마음을 표현하기 위해 웃음과 설레는 얼굴표정을 짓고, 고마운 마음을 표현하기 위해 선물과 따뜻한 미소를 짓고, 슬픈 마음을 표현하기 위해 뜨거운 눈물과 울상인 표정을 짓기도 한다. 그렇다면 표현할 수 없는 마음은 어떻게 표현할까? 나 나름대로 정답을 내린것은 시다.

시는 표현할 수 없는 마음을 표현한다. 예를 들어 반세월이 넘게 같이 지낸 노부부의 습관이 된 애정을 어떻게 애정이란 한 단어로 표현하는가? 나의 작품 중 [부부] 라는 시를 본다면, 이 노부부의 애정을 시로 표현한다. 나는 시가 단순히 한 단어, 얼굴 표정, 물질로 표현할 수 없는 마음을 전할 수 있다 생각한다.

사람은 시각적으로 받아들이는 정보가 80% 이상이다. 나는 내가 걷다가 든 생각과 감정 그리고 느낌을 시에 담아 표현했다. 말로썬 표현할 수 없는 자연의 아름다움. 표정으론 표현할 수 없는 어린 소년의 부끄러운 첫사랑 이야기. 한 단어론 대체될 수 없는 사랑이란 감정. 그리고 나 라는 사람을 시에 담기위해 노력했다. 이 시집을 다 읽고 당신에게 시를 한번이라도 써볼 생각이 들면 너무 좋을 것 같다.

감정은 감추면 감출수록 독이된다. 나의 감정을 표현하고, 생각을 나누고 다른이의 감정을 느껴보고 나도 그 감정에 빠져보는 것이다. 현대인의 문제점은 자신이 어떤 사람인지, 어떤 생각을 가지고 있는지를 숨기는 것이다. 자신이 어떤 사람인지를 표현하지 않으면 불필요한 오해가 생기고 그 오해가 쌓이다보면 관계는 더더욱 풀리지 않는다. 나 라는 사람을 직접적으로 표현하기 어렵다면 시를 써보는 것은 어떨까? 시를 써보며 나의 감정을 전하다보면 상대방도 나 라는 사람이 누군지 느끼고 공감대가 생길 것이다. 아무쪼록 내가 시를 왜 쓰고 추천하는 지에 대해 시집을 빌려 설명을 했다.

시간이 지나면 지날수록, 나이가 들면 들수록 생각하는 깊이가 달라지는것 같다. 이을 수 없던 관계를 붙잡고 있던 어린시절의 나와는 달리, 이제는 이을 수 없는 관계는 일찍이 정리하려 한다. 그에 대한 책임이 어느정돈 있지만 이젠 그 책임을 감당할 만큼의 생각과 마음가짐이 생겼다.

나는 요근래 새로운 사람들을 만나기 시작했다. 어느순간 내가 우물속 개구리라는 생각이 들었다. 여러 대외활동을 통한 사람, 우연

한 인연으로 만난사람 등 다채로운 사람들을 만났다. 사람들을 만나며 '저 사람은 왜 저렇게 살까?', '저 사람은 어떻게 저런 생각을 할까?' 등 사람마다 강점, 단점들이 보이긴 했지만 그것도 그 사람자체 라고 받아들이기 시작했다. 많은 사람을 만날수록, 생각하는 깊이가 달라지고 또 많은 생각을 하게된다. 작년에는 나의 부끄럽고 어색한 시를 느껴보았다면, 올해는 생각의 깊이가 달라진 시를 느낄 수 있을 것이다. 비록 고등학생 어린애가 인생 다 살아본 것 처럼 말하는 것 같지만, 작년의 시를 느껴보며 나 자신에 대한 처방도 했다.

이젠 부끄러운 나의 이야기를 마치고 나의 감정과 마음을 느껴볼 시간입니다.

2024년 흰 눈이 내리는 겨울

조금은 정돈된 책상에 앉아

서장현

차례

차례

나의 생각.

첫 번째 · 장

나의 생각,

거리를 걸으며 또는 고요한 밤길을 걸으며

든 나의 생각을 시에 담아 전합니다.

나의 겨울

얼마나 지났을까, 너와 함께한 나날들

민들레를 따 나의 귀에 걸어준 날,
서늘한 그늘 아래 너와 책을 읽은 날,
구름 하나 없는 하늘 보며 너의 손 잡은 날,

하얀 눈 위 멀찍이 걸어가던 날,
다가갈수록 멀어지는 너를 보며
나 흐를 수 없는 눈물 흘린다.

점점 길어지고
점점 얇아지는
너와 나의 실

너의 말 한마디로 끊어져 버렸다.

마음

마음이 굳게 잠겨있다
수십번 노크를 해보아도
인기척 조차 느껴지지 않는다

나 잠긴 문을 열어보려 노력해 보아도
점점 더 굳게 잠겨진다

포기하고 돌아가려는 그때
비로소 마음이 문을 연다

나 마음이 반겨주어도
이젠 반갑지 않다

울상인 너의 마음을 두고
나 다시 노크를 한다

상처

흰 옷에 검은 얼룩이 묻었다.
물로 대충 지우면 그 얼룩은 번지기만 한다
그렇다고 때를 놓쳐 마르면 영영 지울 수 없다

시간과 진심을 담아 그 얼룩을 지운다면
얼룩이 사라진다.

아니다.
얼룩은 사라지지 않는다.
그저 흐릿해 잘 보이지 않을뿐,
사라진 척 한다.
괜찮은 척 한다.

한번 묻은 얼룩은 어떠한 경우에도 없어지지 않는다.
한번 입힌 상처는 어떠한 경우에도 사라지지 않는다.

사계

봄의 너는 무척이나 설렘이었다
봄내음처럼 나에게 다가와
싱그러운 꽃 향기 피우며
나에게 예쁜 꽃 활짝 피어주었다.

여름의 너는 무척이나 뜨거웠다
매미들의 울음소리와
흐르는 시냇물 소리를 들려주며
항상 나를 밝게 해주었다.

가을의 너는 무척이나 가벼웠다
가을 바람처럼 붉게 물들어가는 너의 모습.
바람에 쉽게 떨어져가는 낙엽들은
나에게 점점 쌓여만갔다.

그러곤 넌 나의 낙엽들 전부 태워버렸다.
가을 바람에 재마저 날아가버렸다.

겨울의 너는 이런 모습일까

허비

꾸역꾸역
의미 없는 짓만 한다.

의미가 없는 짓은
발자국을 남기지 않는다.

나 나중에 잘 가고있나 뒤 돌아도
남아있는건 하얀 눈밭이다.

그러니 나 이제 하얀 눈밭에 발자국 남기려
너의 곁을 떠난다.

척애

사랑이라는 감정을 숨긴채
애써 너의 얼굴 보며 웃는다.

사랑이라는 것이 전혀 없는
너의 투를 보며
애써 나의 눈물 훔친다.

너를 사랑할 수 없음에
애써 나의 마음을 달랜다.

울음을 그치지 않는 마음을 보며
애써 너라는 사람을 지워본다.

글

마음으로 쓰면,
머리가 없어보이고

머리로 쓰면,
마음이 없어보인다.

글이란
마음으로 쓰고,
머리로 고치는 것.

고쳐야하는 글은
실패한 글이 아니라
마음이 담긴 글이고,

완벽한 글은
백점짜리 글이 아니라
마음이 없는 글이다.

호의

너를 보며
안쓰러운 마음에
나 내 손 내민다.

너를 보며
안타까운 마음에
내 손 내민다.

너를 보며
불안한 마음에
손 내민다.

나를 보며
당연한 마음에
너 내 손 가져간다.

고백

말 한마디
정하기도 버겁다

고민 끝에 너에게 말한다

말 한마디
마치기도 전에 떠난다

분수대

어릴적 뛰어놀던
우리의 분수대는
힘껏 뛰어야 겨우
한바퀴를 돌 수 있었지만,
지금 보는 분수대는
우리들의 웃음소리를 떠올리며
돌부리에 넘어져 울던 친구를 떠올리며
무더운 여름날 매미소리와 함께 분수대의
물을 맞았던 기억을 떠올리며
천천히 한걸음 한걸음 걸으면
어느새 분수대 한바퀴 다돈다.

나는 변했지만 너는 변함없이
아이들의 웃음소리를 듣고
매미들과 함께 여름을 맞이하는구나

사치

너에게 주지 못한 것

너와 가보지 못한 곳

너와 함께한 시간들

인스타그램

가장 밝게 빛나면서
막상 찾아보면 어두운 것

모두의 부러움을 사면서
막상 다시보면 질투하는 것

몇가지 사진과
당신이 아닌 당신으로
살아가는 것

나의 느낌.

두 번째 · 장

나의 느낌,

서늘한 비가 추적이는 밤, 또는 공활한 하늘을 보며

들었던 나의 느낌을 시에 담아 전합니다.

여백

당신이 떠난 자리

일기

깜빡깜빡
하나 둘 채워간다.

너와 함께한 이 시간,
나 영원히 간직하려 여기 채워간다.

때론 긴 소설, 때론 짧은 시
때론 한 마디도 없었지만,

그것이 뭐가 중요하나
단지 너와의 시간을 회상한 것이 중요하지

삶

무엇을 위해 달려왔는가
무엇을 바라보고 버텨왔는가

힘겹게 다져지고
뜨겁게 태웠지만

나에게 남은건
텅 빈 마음

서투름

서투른 내 마음에
너의 미소를 잃고
너의 사랑을 잃고
너를 잃었다

돌이켜 보면 후회하는 줄 알았지만
서투른 나의 모습도 좋다

서툴렀기에
너를 보고
너의 사랑을 느꼈다

나비

너의 쑥스러운 미소로
나는 온종일 입가에 미소가 지어지고

너의 싱그러운 눈짓으로
나는 온종일 몸이 가볍다

너의 작고 담백한 날갯짓이
나의 가난한 마음을
풍성히 채웠다

성숙해진 나의 깨달음

서먹한 공기
눈치 없는 바람

시나 한편 써볼까
흰 노트를 펴본다

연하게 나오는 때묻은 볼펜
마음가는 쪽을 잡아 펴본다

땀이 마르고 조금은 구겨진 종이 위에
적힌 짤막한 시

“ 사랑하는 이여, 나의 전부를 주겠소
부디 떠나지만 마오 ”

아아, 너에게 전부를 주지 못해 떠나간 것이 아닌
나의 전부를 보여주지 못해 떠났구나

허황

신선한 공기
끝을 알 수 없는 까만 하늘

그 끝엔 무엇이 기다릴까
가장 밝은 별도 아니다
싱그럽게 웃는 달도 아니다

그저 바람에 몸을 맡긴 채
방황하는 어린 구름이다

누구나
가장 밝은 별, 싱그러운 달을 꿈군다

지금의 너를 보라
과연 밝게 빛나는가
과연 싱그러이 웃고있는가

지금 아무것도 하지 않는 채
가장 빛나는 별을 꿈꾸고, 환히 웃는 당신을 그리나요?
지금 빛나지 않고, 지금 웃지 않는다면
당신의 꿈은 영원히 꿈으로 남을 것입니다.
꿈을 현실로 만들 당신을 응원합니다.

나의 경험.

세번째 장

나의 경험,

처음보는 푸릇한 공원을 걷다, 또는 익숙한 거리를 걷다
들었던 나의 경험을 시에 담아 전합니다.

블랙홀

셀 수 없이 뺏어가고,
가늠할 수 없이 커져서
너는 좋은게 있을까?

너의 욕심은 끝이 없고
결국 그 욕심은 너를 어둠으로 만들었다

어둠속에서도
너의 욕심은 끝이 없고

결국 너는 빛나는 이 마저
어둠으로 만들었다.

2년 그리고 반

지구가 태양을 한 번
감싸 안을 동안

수백 번 넘게
너를 생각했고

지구가 태양을 두 번
감싸 안을 동안

수천 번 넘게
너를 만났고

지구가 태양을 세 번
감싸 안기 전

너는 나를 떠났다

지구가 태양을 열 번
감싸 안을 동안

수만 번 넘게
너를 그리워해야 했다.

백색왜성

밤하늘의 별들처럼 빛나는 것과 떨어져
어둠속에 홀로 있다.

빛을 잃은채 점점 어둠으로 떨어진다.
너는 어떤 삶을 살았을까

하얀 점이 되어 사라져간다
점점 어둠속으로
깊이 사라진다

혼자에서 어둠과 하나가 되었다
빛나는 존재가 아닌
빛나게 하는 존재

백색왜성은,

별의 인생 중 한 단계이다.
별이 모든 진화를 마치고
점점 식어가며 빛을 내지 못한다.
이 시는 백색왜성을 보며 어둠과 하나가 되어가는
별의 인생과 인간의 인생을 보며 드는
무상함을 표현한 시이다.

너

질리도록 본 얼굴이지만
오늘따라 더 보고싶구나
매일듣던 목소리지만
오늘따라 더 듣고싶구나

가장 높은 곳에서 나를 보고있는 너는
나의 얼굴을 보고
나의 목소리를 듣고있구나

오늘도 난 밤이오면
수많은 별 중 너를 찾는다

별

언제나 밝은 너
항상 나를 바라본다

내가 일찍 잠에 들어 버려도
너는 나 바라본다

내가 힘들어 집 밖에 나오지 않아도
너는 나 바라본다

내가 창을 닫고 커튼을 쳐도
너는 나 바라본다

커튼 사이로 새어나오는 희미한 빛
너는 항상 날 보고있는 별이다

손

따뜻한 온기
조금은 축축해진
너의 손

너의 온기를 느낀다
살갗이 닿을 때 마다
전해지는 너의 온도

아무 말 없이 너의 손 잡는다
아무 말 없이 너를 느낀다

그리움

너를 생각했기에
너를 만났기에
너를 사랑했기에

너를 그리워 할 수 있었다
너를 그리워 하기에

너를 사랑하고
너를 만나고
너를 생각한다

당신의 생각.

마지막 . 장

당신의 생각,
나만 보고 느끼기엔 아쉬운 생각이
들었던 당신의 생각을 시에 담아 전합니다.

너 없는 나는 없다

지은

수없는 시간이 흐른다 하여도
변하지 않는 것들
그 속에 너가 있다

차마 때때로 믿지 못할지라도
남아있는 공기들이 우릴 확인 시켜줄거야

나는 오로지 네 앞에서 나니까
너 없는 나는 없다

사계

하은

나에게 따스히 찾아온 그 미소와 보조개,
따뜻한 말 한마디 한마디 하나가 봄 같아서

꽁 꽁 언 내 마음을 녹이는 너의 표정,
시원하게 스치는 바람같은 너의 목소리가 여름 같아서

기분 좋은 신선함과 함께 맞닿은 너의 손,
떨어지는 낙엽잎 같은 너의 아리는 눈물이 가을 같아서

돌아서서 이제는 나를 보지 않는 뒷모습,
나를 바라보는 차가운 눈빛이 겨울 같아서

너는 내게 사계절처럼 다가와 사라졌다.

나

오직 감동과 눈물을 위해
오늘도 나 자신을 꾸며가며
시를 쓴다

꾸며진 마음
꾸며진 감정
꾸며진 인생

오늘도 나 꾸며진 시를 쓰며
꾸며진 인생에 맞춰 살아간다

시를 쓰며,

시는 나의 마음을 표현하는 창이다.
그리고 나라는 사람을 드러내는 얼굴이다.
나는 시를 나 자신을 꾸미기 위해 써왔었다.
이제야 비로소 시를 꾸미는 것을 멈추었다.
시를 꾸민다는 것은 나 자신을 꾸미는 것
나의 솔직한 마음들을 담아
나의 마음들을 전합니다.

나의 마음을 느껴주셔서 감사합니다 :)

끝.